I Hear a Pickle

(and Smell, See, Touch, and Taste It, Too!)

OIGO UN PEPINILLO

(¡y también lo huelo, veo, toco y saboreo!)

RACHEL ISADORA

Translated by · Traducido por Teresa Mlawer

Nancy Paulsen Books

To Alicia Whitaker, an angel

A Alicia Whitaker, un ángel

NANCY PAULSEN BOOKS
an imprint of Penguin Random House LLC.
375 Hudson Street
New York, NY 10014

Nancy Paulsen Books is a registered trademark of Penguin Random House LLC.

Library of Congress Cataloging-in-Publication Data is available upon request.

Manufactured in China by RR Donnelley Asia Printing Solutions Ltd.
ISBN 978-0-399-16049-3
Special Markets ISBN 9781524738785 Not for resale
3 5 7 9 10 8 6 4 2

Design by Marikka Tamura.
Text set in Archer Semibold.
The art was done in ink and watercolor.

MY 5 SENSES: MIS 5 SENTIDOS:

I HEAR OIGO

I SMELL HUELO

I SEE VEO

I TOUCH TOCO

I TASTE 🍉 SABOREO

HEAR
OIGO

Tweet tweet!

I hear the birdie.

¡Pío, pío!

Oigo un pajarito.

Buzz buzz!

I hear the bee.
Uh-oh!

¡Bzzz, bzzz!

Oigo una abeja.
¡Oh, oh!

I *don't* hear the worm.

No oigo el gusano.

I hear the seagull.

Oigo la gaviota

Caw caw!

¡Cao, cao!

I hear the ocean,
in the shell.

Oigo el océano
en la concha.

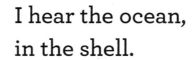

Crash!

I hear the waves.

¡Splash!

Oigo las olas.

I hear Grandma.
Hello!

Oigo a abuela.
¡Hola!

We hear the music.
We dance.

Oímos música.
Bailamos.

Bang! Bang! Bang!

¡Ran rataplán!

I hear the drums.
Too loud!

Oigo los
tambores.
¡Muy alto!

I hear the fridge hum.
I hear my cat purr.

I hear the vacuum.
Vroom!

Oigo la nevera zumbar.
Oigo a mi gato
ronronear.

Oigo la aspiradora.
¡Vroom!

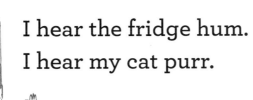

Honk! Beep! Honk!

I hear the traffic.

¡Piiii! ¡Piiii! ¡Piiii!

Oigo el tráfico.

I hear the rain.

Oigo la lluvia.

Boom!
¡Buuum!

I hear thunder.

Oigo tronar.

I *don't* hear the snow falling.

No oigo la nieve caer.

Hooray! Yay!

¡Hurra! ¡Yupi!

Whack!

¡Clac!

I hear my hit.
I hear cheering!

Oigo mi batazo.
¡Oigo al público
aclamar!

SMELL
HUELO

I smell the soap.

Huelo el jabón.

I smell Mommy's perfume.
It smells pretty.

Huelo el perfume de mami.
Huele rico.

I smell my blankie.
I love my blankie.

Huelo mi mantita.
Me encanta mi mantita.

I smell the baby's poop.

Huelo el popó del bebé.

I smell my big brother's smelly sneakers!

¡Huelo las apestosas zapatillas de mi hermano!

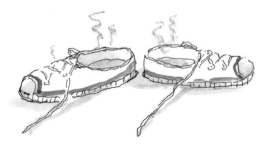

I smell bread.
I'm hungry!

Huelo pan.
¡Tengo hambre!

I smell toast.
It's burnt!

Huelo tostada.
¡Quemada!

I smell the pizza.
Yum!

Huelo la pizza.
¡Mmm . . . !

I smell the cheese.

Stinky!

Huelo el queso.

¡Apestoso!

I *don't* smell.
I have a cold.

No huelo nada.
Tengo catarro.

Auchooo!

¡Achís!

I smell the rain.

Huelo la lluvia.

I smell the grass!
It's so fresh!

¡Huelo la hierba!
¡Es tan fresca!

I *don't* like to smell cow poop.

No me gusta oler la caca de la vaca.

I smell the flowers.

Huelo las flores.

SEE
VEO

I see the airplane up so high.

Veo el avión arriba, muy alto.

The lamp is on. I see.

La lámpara está encendida.
Puedo ver.

The lamp is off. I *don't* see!

La lámpara está apagada.
No puedo ver.

I see my books.
I read to Henry.

Veo mis libros.
Le leo a Henry.

I *don't* see the words
in my book.

No veo las palabras
en mi libro.

I wear my glasses.
I see the words!

Me pongo los lentes.
¡Veo las palabras!

I *don't* see the flower grow!

¡*No* veo cómo crece la flor!

I see Charlie.
Catch!

Veo a Charlie.
¡Atrápala!

I see the snow.
I *don't* see my mitten.

Veo la nieve.
No veo mi mitón.

I see the moon.

Veo la luna.

I see a star.
I make a wish.

Veo una estrella.
Pido un deseo.

I see the bunny.
It hops!

Veo el conejito.
¡Salta!

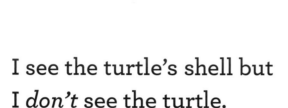

I see the turtle's shell but
I *don't* see the turtle.

Hello in there!

Veo el caparazón de
la tortuga, pero *no* veo
la tortuga.

¿Hay alguien dentro?

I see fireworks.
Wow!

Veo fuegos artificiales.
¡Vaya!

Bye-bye!

¡Adiós!

I see my balloon.

Veo mi globo.

TOUCH
TOCO

I touch the friendly dog.

Toco a un perrito amistoso.

Soft!

¡Suave!

I touch my birdie.

Hi, Lulu!

Toco a mi pajarito.

¡Hola, Lulú!

I *don't* touch the fish!

¡*No* toco a los pececitos!

I touch the sand.
I make a castle.

Toco la arena.
Hago un castillo.

I touch the rain.   Toco la lluvia.

Prickly!
¡Pincha!

I *don't* touch the cactus.   *No* toco el cactus.

I touch my brother's foot.

Toco el pie de
mi hermanito.

Hee-hee.
¡Je, je!

I *don't* touch my boo-boo.
Ouch!

No toco mi yaya.
¡Ay!

No-no!
¡No, no!

I *don't* touch the plug.

No toco el enchufe.

I touch the lollipop.
Sticky!

Toco la paleta.
¡Pegajosa!

I touch the egg.
Oops!

Toco el huevo.
¡Oh, oh!

I *don't* touch the stove.
It's hot!

No toco el fogón.
¡Está caliente!

I touch the cupcake.

Toco el *cupcake*.

I touch the worm.
Slimy!

Toco el gusano.
¡Resbaloso!

I *don't* touch the painting.
It's wet!

No toco la pintura.
¡Está húmeda!

Pop! Pop! Pop!

¡Pop! ¡Pop! ¡Pop!

I touch the bubbles.

Toco las pompas de jabón.

TASTE
SABOREO

I taste the watermelon.

Sweet!

Saboreo la sandía.

¡Dulce!

I taste the pretzel.
Salty!
Saboreo un *pretzel*.

¡Salado!

I taste the hot dog.

Yum!

Saboreo un perrito
caliente.

¡Mmm . . . !

I wait to taste the oatmeal.
It's still hot!

Espero para saborear la avena.
¡Todavía está caliente!

I taste the apple.   Saboreo la manzana.

Crunchy!   *¡Cruje!*

I taste the chili.

Spicy!

Saboreo el chili.

¡Picante!

I taste the milk.

Saboreo la leche.

I taste the spinach and I like it!

I *don't* want to taste the spinach.

No quiero saborear las espinacas.

Pruebo las espinacas iy me gusta su sabor!

I taste the crackers.
The birds do too!

Saboreo las galletas.
¡Los pájaros también!

I taste the peanut butter
and jelly sandwich.

Saboreo un sándwich de
mantequilla de cacahuate
y mermelada.

I taste a jelly sandwich.
I'm allergic to peanuts.

Saboreo un sándwich
de mermelada.
Soy alérgica a los cacahuates.

Delicious!

¡Delicioso!

I taste the spaghetti and meatballs.
My favorite!

Saboreo los espaguetis con albóndigas.
¡Mi plato favorito!

I can't wait to taste the cake . . . after dinner!

¡Qué ganas tengo de saborear el pastel. . .
. . . después de cenar!

I taste the ice cream.
My dog likes it too.

Saboreo el helado.
A mi perro también le gusta.

I taste the pickle.	Saboreo el pepinillo.
It's sour.	Es ácido.
I smell the pickle.	Huelo el pepinillo.
It's spicy.	Es picante.
I see the pickle.	Veo el pepinillo.
It's green.	Es verde.
I touch the pickle.	Toco el pepinillo.
It's slippery.	Es resbaladizo.
I hear the pickle . . .	Oigo el pepinillo . . .

CRUNCH!

¡CRUNCH, CRUNCH!